CHINE

Saveurs du monde

Amy Shui
Stuart Thompson

GAMMA • ÉCOLE ACTIVE

Dans la collection :

- # Brésil
- # Chine
- # Italie
- # Kenya

Photo de couverture : friture de beignets
d'épinards dans la province de Xinjiang.

Page de titre : jeune fille allumant un cierge
dans un temple de Suzhou (Chine).

Page de sommaire : jeune fille habillée
en princesse de la Lune à l'occasion de
la fête de la Lune.

© Wayland Publishers Limited, 1998
titre original : *A flavour of China*.
© Éditions Gamma,
60120 Bonneuil-les-Eaux, 1999,
pour l'édition française.
Dépôt légal : septembre 1999,
Bibliothèque nationale.
ISBN 2-7130-1876-5

Exclusivité au Canada :
Éditions École Active
2244, rue de Rouen,
Montréal, Qué. H2K 1L5.
Dépôts légaux : septembre 1999,
Bibliothèque nationale du Québec,
Bibliothèque nationale du Canada.
ISBN 2-89069-601-4

Loi n°49-956 du 16 juillet 1949 sur les publications destinées à la jeunesse.
Imprimé en U.E.

SOMMAIRE

La Chine et ses spécialités

CHINE

La Chine dans le monde

N

XINJIANG

Jilin

Beijing

Suzhou

Huang He

Lanzhou

MER
JAUNE

Nanjing

Yangzi

GUANGXI

Hong Kong

MER DE CHINE
MÉRIDIONALE

0   800 km

LE RIZ

Le riz est un aliment de base en particulier dans le Sud de la Chine. Sa culture nécessite un climat chaud et beaucoup d'eau.

LES NOUILLES

Les nouilles font partie de nombreux plats chinois. Elles sont faites à partir de blé, un produit de base de la Chine du Nord.

LE PORC

Le porc est la viande préférée des Chinois. Autrefois, de nombreuses familles élevaient des porcs pour les fêtes.

LES VOLAILLES

Les poules, les canards et les oies fournissent des œufs et de la viande. Un plat chinois très connu est le canard laqué.

LE SOJA

Les graines de soja sont très nourrissantes et servent à fabriquer des produits tels que le lait de soja, la sauce de soja et une pâte de soja, le tofu.

LES LÉGUMES

Les Chinois, en particulier ceux du Sud, cultivent de nombreux légumes. À peine saisis à la poêle, ils sont savoureux et riches en éléments nutritifs.

L'agro-alimentaire

La Chine est le pays le plus peuplé du monde, avec plus de 1,25 milliard d'habitants. Mais ce n'est pas le plus grand pays et la majeure partie de son territoire ne peut être cultivée en raison des montagnes et de quelques déserts. Depuis des centaines d'années, les paysans chinois travaillent donc très dur afin de produire assez de nourriture.

▼ Des travailleurs agricoles de la province de Guandxi étalent du riz pour le faire sécher.

L'agriculture en Chine reste un travail très dur. À la campagne, la plupart des familles possèdent des terres cultivables ne dépassant pas la taille de trois terrains de football.

De nombreux Chinois vivent aujourd'hui dans des villes, mais ils sont pour la majorité issus de familles paysannes et savent combien il est difficile de produire en quantité suffisante.

« AVEZ-VOUS MANGÉ ? »

Dans le passé, de nombreuses familles chinoises ont souffert de la famine. C'est pour cette raison que les Chinois se saluent en demandant « Avez-vous mangé ? ». Cela sous-entend que si vous avez mangé, vous ne devez pas avoir de problèmes.

▼ Un restaurant de rue à Lanzhou.

La culture du riz

Les paysans chinois cultivent le riz depuis plus de trois mille ans. C'est une culture qui permet de produire de grandes quantités de céréales sur des terres peu étendues.

La culture du riz exige beaucoup d'eau. Les rizières doivent être très plates, car il faut les inonder lors du repiquage des plants. On voit alors le ciel se refléter dans l'eau.

Quelques mois plus tard, le riz est à maturité et les rizières sont mises à sec pour la récolte. Vues de loin, elles semblent recouvertes d'un manteau jaune.

◀ Dans la province de Guangxi, une mère et sa fille récoltent le riz.

Les aliments de base

En Chine, le riz n'est pas le seul aliment de base. Le blé, le millet et l'orge jouent un rôle important dans le Nord du pays. Avec le blé, on fait des nouilles, du pain cuit à la vapeur et la pâte pour envelopper les raviolis. Dans quelques régions, on consomme beaucoup de patates douces. Les aliments de base forment l'essentiel des repas quotidiens. Mais pour les fêtes, les Chinois dégustent une grande variété de plats spéciaux, beaucoup plus savoureux.

La fabrication de nouilles ▶ dans la province de Xinjiang. On sert souvent les nouilles pendant les banquets d'anniversaire.

▲ Dans le Nord-Ouest de la Chine, des travailleurs battent le blé.

Les banquets

Les Chinois célèbrent les naissances, les mariages et les accords commerciaux par des banquets. Ils en organisent aussi lors d'un décès.

Les gens aisés dépensent beaucoup d'argent en banquets. Mais les fêtes familiales et autres célébrations donnent aux gens modestes l'occasion de manger de la viande chère et des mets spéciaux.

DES PLATS SAVOUREUX

Les Chinois préparaient autrefois de grands banquets pour leurs empereurs. On y mangeait des mets délicats tels les nids d'hirondelles, les pattes d'ours, les bosses de chameaux, les lèvres de gorilles et les queues de daims. Aujourd'hui, en Chine, on peut encore manger de la tortue, du serpent, de la limace de mer, et des grenouilles entières.

◄ À Jilin, de nouveaux mariés savourent leur repas de mariage.

Dieux, fantômes et ancêtres

Autrefois, les Chinois organisaient des fêtes en l'honneur des dieux, des fantômes et de leurs ancêtres. Les paysans remerciaient les dieux et leurs ancêtres pour les bienfaits de l'année précédente et priaient pour qu'ils leur accordent la paix et la richesse pendant l'année suivante. Les fantômes malfaisants étaient tenus à l'écart des festivités par le bruit des pétards. Ces fêtes étaient l'occasion pour les paysans de se reposer et de manger des mets délicats et en abondance. Les principales religions étaient le bouddhisme, le taoïsme et le confucianisme. Aujourd'hui, beaucoup de Chinois ne pratiquent plus de religion mais continuent à célébrer les fêtes !

▲ Par cette fête colorée, les habitants de Beijing (Pékin) célèbrent l'histoire du dieu-singe.

Le Nouvel An chinois

Le Nouvel An chinois, la fête la plus importante de l'année, a lieu à la fin de janvier ou au début de février. C'est aussi la fête du printemps qui célèbre la mort de l'année écoulée et la naissance de la nouvelle année. Selon la tradition, tous les membres de la famille se réunissent la veille pour partager un festin.

LE DIEU DU FOUR

Selon une légende chinoise, le dieu du Four, installé dans la cuisine, espionne la famille. Quelques jours avant la fin de l'année, il va voir l'empereur du Ciel pour lui raconter ce qu'il a vu. Avant son départ, la famille lui offre des bonbons gluants destinés à lui coller les dents. Ce mauvais tour empêche le dieu du Four de faire son rapport, ou l'incite à ne raconter que des choses douces comme le sucre.

▼ Ces oies vont être vendues pour un festin du Nouvel An.

La préparation du festin

Pendant les jours précédant le Nouvel An chinois, les épiceries et les marchés sont très animés. Dans le Nord, les familles se réunissent et travaillent beaucoup pour préparer des centaines de *jiaozi* pour le festin de la veille du Jour de l'An. Les *jiaozi* sont des raviolis à la viande de porc hachée. Les Chinois préparent délibérément trop de nourriture, espérant ainsi qu'il en restera pour l'année à venir. Quand la nourriture est prête, les membres de la famille en offrent d'abord à leurs ancêtres. Puis, c'est à leur tour de manger.

◀ Toute la famille met la main à la pâte pour la préparation des *jiaozi*.

L'origine de la fête

Les Chinois racontent une histoire sur
la naissance de la fête. Jadis, l'empereur
du Ciel envoya un monstre du Nouvel An
qui devait détruire le monde, car les hommes
ne s'occupaient pas bien de leurs animaux.
Terrorisés, les hommes firent des repas
d'adieux en famille et, dans la nuit sombre,
attendirent la fin du monde.
Quand le jour se leva, ils comprirent que
l'empereur du Ciel les avait pardonnés.
Ils se ruèrent alors au dehors pour adresser
des félicitations à tous leurs voisins et amis.
Et c'est encore de cette façon que les Chinois
se saluent le jour du Nouvel An.

▲ Pour le banquet de
la veille du Jour de l'An,
les tables sont chargées
de plats savoureux.

À Beijing, cette poupée ▶
gigantesque exécute
la danse du lion pour
saluer la nouvelle année.

Les plats préférés

UN PORTE-BONHEUR

Les jours suivant le Nouvel An, les Chinois rendent visite à leurs parents pour les féliciter d'avoir survécu à la naissance de la nouvelle année. Les adultes offrent aux enfants de l'argent porte-bonheur glissé dans des enveloppes rouges.

Selon la tradition, l'un des plats du banquet de la veille du Nouvel An est un poisson entier qui symbolise l'unité et la prospérité. Les aliments qui ont une forme ronde (les œufs et les boulettes de riz sucrées par exemple) laissent présager que tous les membres de la famille resteront unis.

Le gâteau gluant du Nouvel An, qui est un genre de biscuit de Savoie, est souvent au menu, car le mot chinois désignant le gâteau ressemble au mot signifiant « grand » ou « haut ». Manger ce gâteau est donc une façon de se souhaiter une promotion ou un succès.

▼ Cette boutique vend des spécialités du Nouvel An.

Le gâteau gluant

USTENSILES

un saladier
une cuillère en bois
un moule à gâteau
   graissé
du papier sulfurisé
de la ficelle
une casserole
une assiette
une spatule

INGRÉDIENTS

4 œufs
120 g de sucre
1 cuillerée de miel
30 g de margarine
100 ml de lait

2 cuillerées à soupe
   d'huile
225 g de farine à levure
1/2 cuillerée à café de
   bicarbonate de soude

1 Mélange les œufs, le sucre, le miel et la margarine. Ajoute le lait, l'huile, puis la farine et le bicarbonate de soude.

2 Verse le mélange dans le moule. Couvre-le avec du papier sulfurisé attaché avec la ficelle. Verse de l'eau dans la casserole, puis places-y le moule.

3 Place le couvercle sur la casserole sans la recouvrir complètement. Fais bouillir l'eau à feu doux pendant 35-40 mn. Plante un couteau dans le gâteau et s'il en ressort sec, le gâteau est cuit.

4 Fais glisser la spatule entre le moule et le gâteau. Retourne le moule sur l'assiette pour démouler le gâteau. Sers chaud avec du miel fondu ou du coulis de framboises.

Attention aux casseroles chaudes. Demande à un adulte de t'aider.

17

Le Balayage des tombes

La fête du Balayage des tombes, également appelée fête Qing Ming, a lieu chaque année, au début du mois d'avril. C'est l'époque où les familles montrent qu'elles n'ont pas oublié leurs parents décédés. Elles se rendent sur les tombes de leurs ancêtres et les débarrassent des mauvaises herbes. Elles font parfois brûler de l'encens. Elles peuvent offrir à leurs ancêtres des paniers de nourriture ou de l'argent factice qu'elles font brûler. Elles font aussi éclater des pétards.

Certaines familles pique-niquent près des tombes. Les autres prennent chez elles un repas spécial en mémoire de leurs ancêtres.

◀ Ces Chinois de Hong Kong ont apporté un pique-nique sur une tombe à l'occasion de la fête du Balayage des tombes.

Le souvenir des ancêtres

Il est important pour les familles de s'occuper des âmes de leurs ancêtres et de s'assurer de leur bien-être dans le royaume des morts. Selon la tradition, les ancêtres négligés par les vivants deviennent des fantômes. Ils ne savent pas où aller et personne ne leur donne à manger. Ils errent donc, affamés. Et dans leur recherche d'abri et de nourriture, ils peuvent nuire aux vivants.

LE MOIS DES FANTÔMES

Dans le calendrier chinois, le septième mois est le mois des fantômes, pendant lequel les fantômes sont libérés de l'enfer. Les Chinois prennent alors en pitié ces âmes qui n'ont personne pour s'occuper d'elles. Ils leur offrent de la nourriture et de l'argent factice.

▼ Pendant des funérailles, ces Chinois brûlent des offrandes en argent factice.

Le renouveau de la vie

▼ Ces crêpes
fourrées sont
appelées rouleaux
porte-bonheur. Elles
sont garnies d'œuf et
de légumes émincés.

La fête du Balayage des tombes marque le début de l'époque des semailles. C'est le moment de se souvenir des morts et de célébrer le renouveau de la vie. En associant les deux choses, les Chinois pensent que leurs ancêtres protégeront les prochaines récoltes.

Parmi les mets dégustés lors de la fête du Balayage des tombes, on mange des crêpes fourrées d'un mélange d'ingrédients. Elles symbolisent l'union de la famille avec ses ancêtres.
Tu trouveras la recette de ces crêpes fourrées ci-contre.

LES ŒUFS

Les Chinois mangent parfois des œufs durs pendant le pique-nique de la fête du Balayage des tombes. Les œufs sont un symbole de vie, de mort et de résurrection, comme les œufs de Pâques de la religion chrétienne.

Les crêpes fourrées

INGRÉDIENTS

Pour la pâte à crêpes :

185 g de farine complète

1/2 cuillerée à café de sel

2 œufs

375 ml d'eau

3 cuillerées de sauce au soja

Pour les garnitures, dans des bols :

viande émincée et frite : poulet,
   porc ou jambon

légumes émincés et frits : carottes,
   céleri, germes de soja, poivrons,
   champignons shitake

Mélange la farine, le sel et les œufs.
Verse l'eau progressivement afin
d'obtenir une pâte lisse.

Fais chauffer la poêle légèrement
huilée. Verses-y un peu de pâte en
agitant la poêle pour qu'elle s'étale.

Fais cuire la crêpe jusqu'à ce que tu
puisses la détacher facilement à l'aide
de la spatule. Retourne-la pour faire
cuire l'autre côté.

Étale un peu de sauce au soja sur la
crêpe. Place la garniture de ton choix
en travers de la crêpe et roule-la.

Attention aux casseroles chaudes. Demande à un adulte de t'aider.

La fête du Bateau-dragon

Les Chinois célèbrent la fête du Bateau-dragon le cinquième jour du cinquième mois lunaire, c'est-à-dire en mai ou juin. Ce jour-là - et ce depuis des centaines d'années - des équipes de rameurs s'affrontent à la course dans des bateaux en forme de dragons. Cette fête est célébrée en l'honneur d'un homme politique qui alla se noyer quand les Chinois refusèrent d'écouter ses conseils. L'histoire raconte que les gens se précipitèrent en bateau pour essayer de le sauver. Des tambours imposent leur rythme aux rameurs et sont supposés effrayer les poissons afin qu'ils ne dévorent pas le corps du politicien.

◀ Une course de Bateaux-dragons dans le port de Hong Kong.

Les *Zongzi*

Les *zongzi* sont le plat le plus apprécié pendant la fête du Bateau-dragon. Ce sont des boulettes de riz gluant farcies de viande de porc, ou bien de graines de soja et d'œuf, ou encore d'une pâte de haricots rouges, le tout enrobé de feuilles de bambou. Elles ont la taille de balles de tennis et sont attachées avec de la ficelle.

L'histoire raconte que lorsque l'homme politique se noya, les Chinois jetèrent des *zongzi* dans le lac afin que les poissons s'en nourrissent et ne mangent pas son corps.

▼ Les Chinois offrent parfois des *zongzi* aux parents et amis auxquels ils rendent visite lors de la fête.

Des dragons dans le ciel

La fête du Bateau-dragon est célébrée au début de l'été, quand il commence à faire chaud. C'est l'époque à laquelle les cultures doivent mûrir et la pluie est nécessaire pour assurer une bonne récolte. Certains pensent que la fête du Bateau-dragon encourage la pluie à tomber, car, dans la tradition chinoise, les combats de dragons dans le ciel sont supposés provoquer des pluies importantes.

Des œufs marbrés ▶ au thé sur un lit de laitue.

LES ŒUFS EN ÉQUILIBRE

La fête du Bateau-dragon a lieu aux alentours du solstice d'été, quand le soleil à midi est exactement au-dessus de nos têtes. Certaines personnes disent qu'il est alors possible de faire tenir un œuf sur sa pointe. Les enfants s'amusent beaucoup à essayer de le faire. Tu peux aussi essayer de faire des œufs marbrés au thé, en suivant la recette de la page ci-contre.

Les œufs marbrés au thé

INGRÉDIENTS

6 œufs

6 cuillerées à soupe
de sauce de soja

2 sachets de thé

2 cuillerées à café
de sel

1/2 cuill. à café de
poudre 5 épices

Plus tu laisseras
les œufs dans le thé,
plus le goût sera fort
et les marbrures
apparentes.

1 Mets les œufs dans la casserole,
recouvre-les d'eau et laisse frémir
pendant environ 10 minutes.
Puis jette l'eau chaude.

2 Recouvre les œufs d'eau froide.
Quand ils ont refroidi, jette l'eau.
Casse les coquilles sans les enlever.

3 Recouvre les œufs craquelés d'eau
froide et ajoute les sachets de thé,
la sauce de soja et les épices.
Laisse frémir pendant une heure.

4 Laisse les œufs refroidir dans le thé.
Puis pèle les œufs et sers-les chauds ou
froids sur un lit de feuilles de salade.

Attention aux casseroles chaudes. Demande l'aide d'un adulte.

25

La fête de la Lune

La fête de la Lune est aussi appelée fête de la Mi-Automne. C'est l'époque à laquelle on admire la pleine lune, car elle est particulièrement ronde et brillante. C'était autrefois la fête des moissons. Aujourd'hui, certains parents emmènent leurs enfants dans un parc ou sur une colline pour admirer la lune et partager un pique-nique.

Cette jeune ▶ femme est habillée en princesse de la Lune.

LA PRINCESSE DE LA LUNE

La fête de la Lune est avant tout une fête pour les femmes. Dans la pensée chinoise, la Lune est féminine alors que le Soleil est masculin. D'après la légende, une belle princesse nommée Chang E fut bannie sur la Lune, car elle avait avalé une pilule qui aurait permis à son mari de vivre éternellement. C'est le jour de la fête de la Lune que la princesse est la plus belle.

Les fruits de la fête

À l'époque de la fête de la Lune, les Chinois mangent les fruits qui ont en commun d'être ronds, comme la Lune.
Parmi eux, il y a des agrumes, des grenades, des poires rondes et un fruit appelé carambole. Les Chinois offrent ces fruits pour que les familles soient elles aussi « rondes », c'est-à-dire qu'elles restent complètes.

▲ Des lanternes de fête illuminent la nuit dans un parc de Hong Kong.

À l'époque de la fête ▶ de la Lune, les Chinois mangent des fruits ronds, tels que ces grenades colorées.

LES GÂTEAUX DE LUNE

Les gâteaux de lune sont le mets le plus apprécié lors de la fête de la Lune. Ils sont difficiles à faire, aussi les gens préfèrent les acheter dans des magasins plutôt que de les faire eux-mêmes, bien qu'ils soient chers. L'extérieur de ces gâteaux ronds est fait de pâte dorée et l'intérieur est fourré d'un mélange de graines de lotus et de fruits secs. Certains gâteaux de lune contiennent un jaune d'œuf de cane. Ils sont très bourratifs et tu ne pourrais pas en manger plus d'un à la fois.

▼ Un commerçant met en étalage des gâteaux de lune préparés pour la fête.

L'ÉCRITURE CHINOISE

Pour te donner un avant-goût de l'écriture chinoise, tu peux écrire le caractère désignant la Lune sur des biscuits (voir ci-dessous). Tu trouveras ci-contre une recette de biscuits aux amandes sur lesquels tu écriras ce mot.

Biscuits aux amandes

INGRÉDIENTS

125 g de farine à levure

1 cuillerée à café de levure

125 g de sucre

100 g de poudre d'amandes

50 g de margarine

2 œufs battus

colorant alimentaire rouge

USTENSILES

un grand saladier

une cuillère en bois

une plaque
à pâtisserie

une grille

un pinceau
à pâtisserie

une spatule

un pinceau fin
et propre

1 Mélange farine, levure, sucre et poudre d'amandes. Incorpore du bout des doigts la margarine jusqu'à ce que le mélange ait la consistance de miettes de pain. Ajoute un œuf.

2 Divise le mélange en 12 portions que tu roules et aplatis pour leur donner une forme ronde. Mets-les sur la plaque graissée. Dore à l'œuf avec le pinceau à pâtisserie.

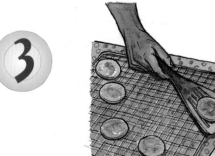

3 Fais cuire les biscuits à 200°C pendant 20 minutes, jusqu'à ce qu'ils soient dorés. Retire-les de la plaque et fais-les refroidir sur une grille.

4 Trempe le pinceau fin dans le colorant alimentaire rouge et dessine sur chaque biscuit une lune ronde ou le caractère chinois désignant la Lune.

Attention aux casseroles chaudes. Demande l'aide d'un adulte.

Glossaire

ancêtres : les membres d'une famille décédés, généralement depuis longtemps.

banquet : grand repas de fête.

bouddhisme : religion fondée par le Bouddha, qui vécut en Inde du Nord.

cinq épices : mélange d'anis étoilé, de cannelle, de clou de girofle, de poivre et de fenouil.

confucianisme : idées développées par le philosophe chinois Confucius. Il insista sur l'importance de la famille et le respect des parents.

élément nutritif : élément qui nourrit le corps et lui apporte ce dont il a besoin pour rester en bonne santé.

encens : poudre ou bâtonnets qui dégagent une odeur agréable en brûlant.

famine : période pendant laquelle les gens n'ont pas de nourriture, ou très peu.

mois lunaire : période comprise entre deux nouvelles lunes, égale à un peu plus de 29 jours. Les dates de nombreuses fêtes chinoises ne sont pas fixes, mais sont établies d'après les mouvements de la Lune.

nouilles chinoises : elles sont fabriquées avec de la farine et ont la forme de rubans longs et fins. Elles ressemblent un peu à des spaghettis.

soja : plante oléagineuse cultivée pour ses graines riches en protéines.

taoïsme : école de pensée chinoise qui s'intéresse à la définition de l'être humain et à sa place dans la nature et l'univers.

Crédits photographiques

Axiom 7/Gordon D. R. Clements, 8/Gordon D. R. Clements, 13/Gordon D. R. Clements ; Antony Blake 23/Matthew Faber ; Britstock 6/F. Aberham ; Cephas *couverture*/Nigel Blythe, *sommaire*/Ted Stefanski, 5 (haut à droite)/Nigel Blythe, 9 (bas)/Nigel Blythe, 11/Chris Davies, 20, 26/Ted Stefanski, 27 (bas)/Nigel Blythe ; Circa 14 ; Bruce Coleman 15/Pacific Stock ; Eye Ubiquitous 19/John Hulme, 24/Julia Waterlow ; Getty Images 5 (centre à droite)/Alain Le Garsmeur, 12/Alain Le Garsmeur ; Hong Kong Tourist Authority 16 ; Hutchison Library 28/Lesley Nelson ; Impact 18/Alain Everard, 27 (haut)/Dave Young ; Panos 10/Sean Sprague ; Travel Ink 22/Derek Allan ; Trip *page de titre*/M Watson ; Wayland Picture Library 5 (haut à gauche), 5 (centre à gauche)/Julia Waterlow, 5 (bas à droite, 5 (bas à gauche), 9 (haut)/Gordon Clements.
Illustrations des fruits et légumes : Tina Barber. Carte 4 : Hardlines. Maquette réalisée par Judy Stevens.

Pistes pédagogiques

MATHÉMATIQUES

L'utilisation et la compréhension des mesures (pour les recettes)

L'utilisation et la lecture d'instruments de mesure (balances)

L'utilisation des poids et des mesures

L'utilisation et la compréhension des fractions

MUSIQUE

Les musiques de fête

La musique d'une culture différente

GÉOGRAPHIE

L'étude de la géographie locale

Paysages et climats

L'agriculture

L'influence du paysage sur les activités humaines : l'agriculture et les fêtes liées aux aliments

Prise de conscience du contexte local

Saveurs du monde pistes pédagogiques

TECHNOLOGIE

Dessiner l'affiche publicitaire d'un produit alimentaire

Les technologies de l'agro-alimentaire

Les emballages

Préparer les repas

Suivre une recette

SCIENCES

La nourriture et la nutrition

La santé

Les plantes dans différents milieux

La vie des plantes

Les états de la matière

FRANÇAIS

Écriture d'un slogan vantant un produit alimentaire

Composition d'un poème ou d'une histoire dont le thème est la nourriture

Composition d'un menu de repas de fête chinois

LANGUES VIVANTES

Les activités quotidiennes : la cuisine

Les hommes, les lieux et les coutumes

HISTOIRE

Histoire des aliments

Enquête sur les techniques agricoles utilisées depuis un siècle

RITES ET COUTUMES

Les plats traditionnels
Le bouddhisme
Le respect des ancêtres
L'importance de la famille

31

Index